Sami à la ferme

Emmanuelle Massonaud

hachette
ÉDUCATION

Avec Sami et Julie, lire est un plaisir !

Avant de lire l'histoire

- Parlez ensemble du titre et de l'illustration en couverture, afin de préparer la compréhension globale de l'histoire.
- Vous pouvez, dans un premier temps, lire l'histoire en entier à votre enfant, pour qu'ensuite il la lise seul.
- Si besoin, proposez les activités de préparation à la lecture aux pages 4 et 5. Elles permettront de déchiffrer les mots les plus difficiles.

Après avoir lu l'histoire

- Parlez ensemble de l'histoire en posant les questions de la page 30 : « As-tu bien compris l'histoire ? »
- Vous pouvez aussi parler ensemble de ses réactions, de son avis, en vous appuyant sur les questions de la page 31 : « Et toi, qu'en penses-tu ? »

Bonne lecture !

Couverture : Mélissa Chalot
Maquette intérieure : Mélissa Chalot
Mise en pages : Typo-Virgule
Illustrations : Thérèse Bonté
Édition : Laurence Lesbre
Relecture ortho-typo : Jean-Pierre Leblan

ISBN : 978-2-01-290383-8

Achevé d'imprimer en Espagne par Unigraf
Dépôt légal : mars 2018 - Collection n° 12 - Édition: 04 - 28/6158/4

Les personnages de l'histoire

1. Montre le dessin quand tu entends le son (oi) comme dans roi.

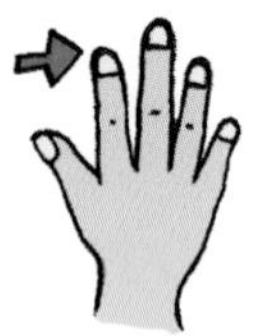

2. Montre le dessin quand tu entends le son (oin) comme dans foin.

3. Lis ces syllabes.

ai	oin	oui	foi	goi
soi	soin	loir	loin	loui	troi

4 Lis ces mots-outils.

5 Lis les mots de l'histoire.

une pivoine

Grégoire

des oies

du foin

un coing

un groin

Le grand jour de la sortie

scolaire est arrivé !

Sami s'est mis à côté

de Basile, et Zoé s'est mise

à côté de Nina.

Louis, qui est malade

en car, a pris soin de

s'installer près du couloir.

En route pour la « ferme des Trois Pivoines » !

– C’est encore loin ?
demande Louis pour
la troisième fois.
– Non, plus très loin !
répond la maîtresse.

BLA
BLA

Tout à coup, le car sort d'un tunnel. Les élèves hurlent de joie.

– Oh, c'est joli ! dit Sami.

CAR

– Bonjour, les enfants !

dit Grégoire, le fermier.

– Bonjour, monsieur !

répondent les élèves.

– Si quelqu'un a besoin

d'aller aux petits coins,

c'est par ici.

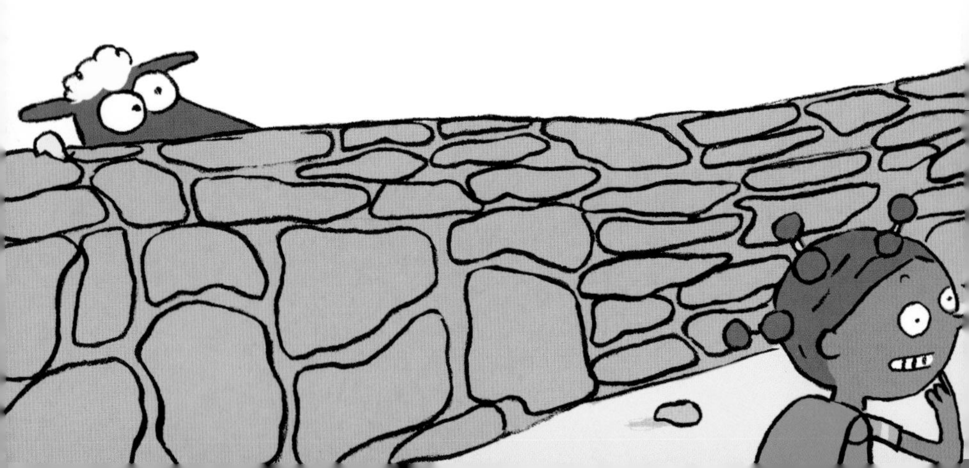

FERME
DES TROIS PIVOINES

Dans l'étable, une vache mange du foin.

– Je vous présente Victoire.

– On pourrait la traire, s'il vous plaît ? demande Sami.

– Il vaut mieux que vous restiez plus loin, dit Grégoire.

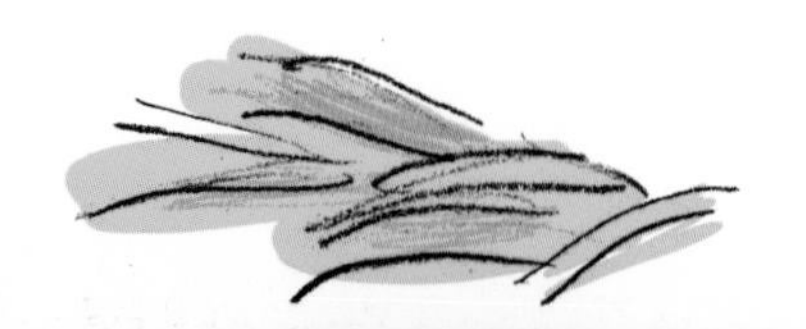

VICTOIRE

Dans la prairie courent

des dizaines d'oies.

– Gare à vos doigts !

avertit Grégoire. Les oies

ont le bec pointu !

COIN COIN !
COIN COIN COIN !

– Oh ! des poires, dit Sami.

– Ce sont des coings,

précise Grégoire.

– Moi, j'ai soif et je voudrais

m'asseoir ! râle Basile

dans son coin.

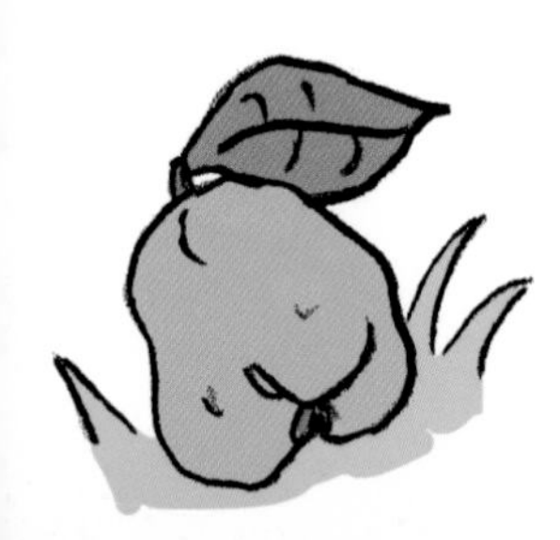

– C'est l'heure

du pique-nique,

déclare la maîtresse.

Grégoire, voulez-vous

vous joindre à nous ?

– J’échangerais volontiers mes noix contre votre tarte aux fraises ! dit Grégoire.

– Avec plaisir, répond la maîtresse.

– C’est délicieux ! Vous êtes la reine de la pâtisserie !

NY
CHIPS

L'après-midi, la visite
se poursuit.
– Et voilà nos cochons
de lait nés il y a
une semaine ! dit Grégoire.
– Leurs petits groins roses
sont trop mignons !
– Quels goinfres !

Le soir tombe ; il fait

plus frais.

– Salut les enfants !

– Merci, Grégoire !

Salut Victoire !

disent les enfants.

À peine installés dans
le car, tous s'endorment
sur leurs accoudoirs.
Finie la foire : ils dorment
comme des loirs !

FIN
FERME
DES TROIS

As-tu bien compris l'histoire ?
1
Qui est malade en car ?
2
Sais-tu ce qu'est une pivoine ?
3
Quels animaux ont vu les enfants ?
4
Quel dessert a préparé la maîtresse pour son pique-nique ?
5
Que mange la vache ?

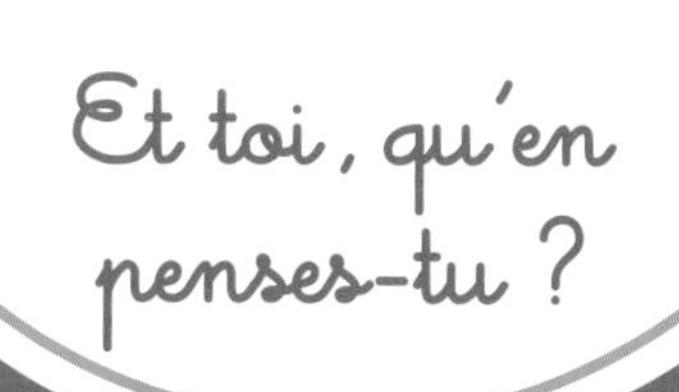

Et toi, qu'en penses-tu ?

Et toi, as-tu déjà fait des sorties avec ta classe ?

Qu'apportes-tu pour le pique-nique ?

Connais-tu la différence entre un canard et une oie ?

Qu'est-ce que tu as préféré dans la ferme de Grégoire ?

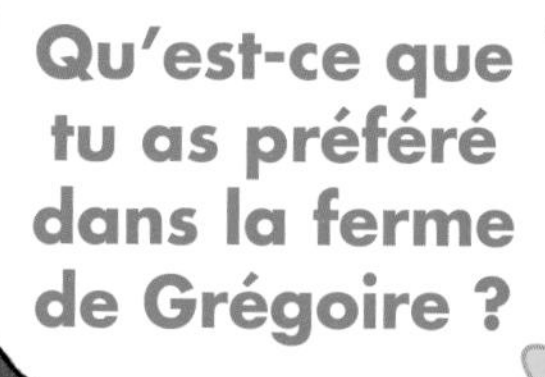

Dans la même collection :

Début de CP

Milieu de CP

Fin de CP

Et dans la collection des **Petites Enquêtes** *trop chouettes* :

CP et CE1 6-8 ans

hachette ÉDUCATION